Kat an Doug on
Planet Fankle

For Rhona

Kat an Doug on PLANET FANKLE

Susan Rennie

Illustrations by Dave Sutton

First published 2002
by Itchy Coo
A Black & White Publishing and Dub Busters Partnership

ISBN 1 902927 45 1

A CIP catalogue record for this book is available from The British Library.

Book designed by Creative Link

Printed and bound by Bookprint

THIS BUIK BELANGS TAE

· ·

On the mornin o her birthday, Kat woke tae find a cyberdug in her bedroom.

'Cool!' she exclaimed, lowpin oot o bed tae try oot her new toy.

It luiked faur mair interestin than ony o the cyberdugs Kat had seen in the shops. Its tail wis waggin an Kat thocht she saw a wee door closin on the tap o its heid.

'Somebody's left its switch on,' she thocht.

Kat cudna imagine wha wid gie her sic a fantoosh toy. It wisna wrapped up in birthday paper, an there wis nae caird. Then, tae her utter bumbazement, the dug spak.

'I'm Doug,' it said, turnin tae face Kat. 'I'm jist explorin yer room, I howp ye dinna mind.'

'Oh . . . naw, that's fine,' said Kat, mair bumbazed than iver.

'Braw,' said Doug, giein it laldie again wi his tail.

It wis clear tae Kat that Doug wisna yer average cyberdug.

That day, Kat cudna wait tae get hame fae the scuil tae play wi Doug. As suin as she got back, she luiked aw ower the hoose for him, an finally foond him in the gairden, snowkin an snufflin aboot.

'Whit're ye daein, Doug?' speired Kat.

'Luikin . . . for worm . . . hmfff . . . holes . . . ' Doug mummelt wi his neb in a rosebush. Then, his cybertail stertit gaun its dinger.

'Ye'll no find worms in there, ye daft gowk,' said Kat.

'No a worm hole whaur worms bide. A space wormhole,' explained Doug. 'Ye'd better haud ontae this,' he added.

Kat heard a whirrin soond an saw that a leash wis stertin tae growe oot o Doug's collar.

'Whit's a spa . . . ' she stertit, pickin up the end o the leash. But she didna hae time tae feenish, for suddenly she wis wheeched aff her feet an poued alang efter Doug.

'Kat, whaur are ye? Yer tea's . . . ' she cud hear her maw's voice, gettin mair an mair faur awa.

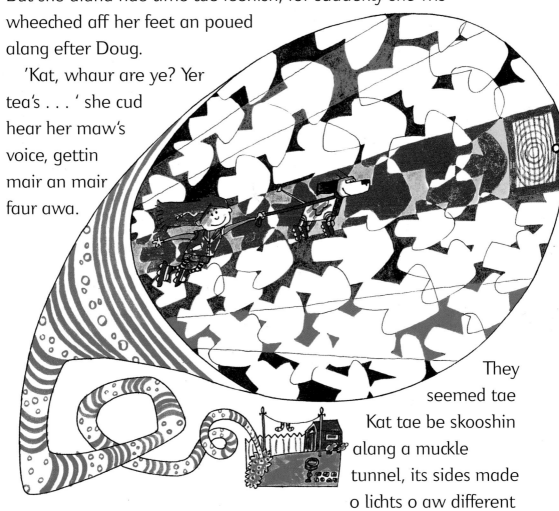

They seemed tae Kat tae be skooshin alang a muckle tunnel, its sides made o lichts o aw different colours. She heard anither whirrin, birlin soond an a pair o fantoosh rollerskates sprooted unner Doug's feet. Then anither pair shot oot o his cyber-bahoochie towards her.

'Pit these on,' he said. 'They're special for skitin alang wormholes.'

'Cooool . . . !' exclaimed Kat, jist managin tae catch haud o the fleein skates.

'Are ye an astronaut?' she speired at Doug, ettlin tae tie the skates on wi ane haund while haudin on ticht tae the leash wi the ither.

'I prefer astro*stravaiger*,' said Doug.

At the nixt wormhole intersection, they stapped for a breather. Doug opened his jaw an oot drapped a crunkelt bit paper.

'Wormhole map,' he explained, uncrunklin the paper an spreidin it oot for Kat tae see. The map shawed hunners o planets in different galaxies, aw jined thegither by weird-luikin tunnels. It luiked tae Kat like a snakes-an-ladders board gane gyte. In the middle o the haill map wis a muckle roondaboot, an a sign sayin 'Kat's gairden'.

'Wow,' said Kat. 'Ye mean tae say that oor gairden . . . ?'

'. . . is at the centre o a wormhole roondaboot,' feenisht Doug. 'Hunners o wormholes meet there an skite aff tae different pairts o the universe. We astrostravaigers yaise it aw the time. Whaur dae ye fancy gaun on yer first space stravaig?'

Kat read the names. 'Hmm . . . Planet Braw soonds nice. Or Leesome, or Bonnie.'

'Weel,' said Doug, 'they're aw in the same galaxy, sae we'll jist tak the nixt exit on the richt . . . Here!'

Doug lowped sherp aff tae the richt, wheechin Kat ahint him. Saiconds later, Kat felt the brakes on her wormblades comin on an they skreiched tae a stap, jist afore a hologram door.

'Efter you, Kat,' said Doug. 'Planet Bonnie.'

But whan Kat stepped through the holo-door, it wis clear that something wis agley. The planet didna luik bonnie at aw! There were trees an flooers galore, but aw their stems were twistit an taigelt. The moontains in the distance luiked like great muckle knots.

'Doug,' said Kat, a bittie fashed, 'dae ye think "bonnie" means something else here?'

Jist then a shooglie tricycle wi buckelt wheels shauchled up. Its rider dismoontit an approached them. His hair, thocht Kat, luiked like he'd been draiged through a hedge backarts. He wis weirin a lang jaiket wi knottit tails that seemed tae be on inside-oot, wi the buttons aw fastened up wrang. Forby, his beard had got raivelt up wi his necktie, an his shuin were on the wrang feet wi the laces in a total guddle.

'Walcome, freens, tae Planet Fankle,' said the craitur.

'Oops!' said Doug. 'Wrang turn at the last wormsection. I hinna been here afore, sae this wull be interestin.' He liftit his left cyberpaw tae his mooth an stertit tae speak intae it.

'Astrostravaig Thirteen Fowerteen: Planet Fankle.'

Kat wis gawkin at him.

'Paw-phone,' Doug explained. 'I keep a record o aw the planets I veesit. Some day I'll shaw ye ma scrapbuik.'

'Dae ye tak photies an aw?' speired Kat, gey excitit.

'Holo-videos,' said Doug, birlin roond ane o his cyber-een tae shaw Kat a wee camera on the reverse.

Doug gied Kat a guid luik, up an doon. 'Hmm . . . yer hair's in an awfie state, that's guid . . . but the rest o ye cud definitely dae wi a burst o ma Fankeliser.'

Oot the tap o Doug's heid cam a wee machine that luiked tae Kat haufwey atween a blaw-dryer an a food mixer. Whan it had feenisht blawin, it retreatit intae Doug's heid an wis replaced by a mirror.

Kat saw that her hair wis stickin oot in tousie taigles, her T-simmit wis aw squeegee, her skirt wis roond back-tae-front, an her shae-laces were knottit thegither.

'Cool!' she exclaimed.

Anither whirrin soond cam fae Doug's foreheid an Kat saw that ane o his antennae wis fanklin itsel up. 'Helps us tae blend in,' he explained.

'Ah,' said the craitur, gey pleased. 'I see ye ken oor customs. Ma name is Snorl.'

'I'm Kat,' said Kat. 'An this is Doug, the astron . . . astrostravaiger.'

'Ye've wormholed intae the Guddle Glen,' said Snorl. 'Owerby is oor capital, Muckle Boorach. I'll gie ye a hurl.'

'I'll jist follae ahint yese,' said Doug, retractin his cyberpaws an replacin them wi a set o wheels.

Nane o the roads on Planet Fankle were strecht. They aw zigged an zagged an looped the loop, an tae mak things mair bumbazin, awbody wis pedallin backarts on them.

'It maun be gey difficult tae tell whaur ye're gaun,' said Kat, jeeglin up an doon on the back o the fankle-cycle. Ahint them, she cud see Doug, takkin videos an dictatin intae his paw-phone.

'We yaised tae hae maps an road-signs,' said Snorl, 'but they didna help an jist got awbody fashed. Noo it's faur better. Naebody expecks tae get onywhaur in parteecular an we jist wait tae see whaur we end up. I hinna seen ma auntie that steys in Tapsalteerie Toun, on the ither side o Muckle Boorach, for years. Each time I set oot tae veesit her, I get in sic a guddle that I end up in a different toun awthegither. I've made clannies o new freens that wey, tho, sae I dinna mind at aw.'

Near an oor later, efter they had taen a dizzen wrang turns an been back at whaur they stertit a wheen times, Snorl fankelt ane o his shae-laces in the pedals, an they cam tae a sherp stap.

The hooses in Muckle Boorach were gey ricklie, an luiked as if they had been knittit thegither. Whan Kat luiked closer, she saw that they really had been — an no awfie weel at that! The Fankelites went in an oot o their hooses throu wee holes made by drapped stitches. At the faur end o ane street, they saw Fankelites biggin a new hoose, pouin bits o wool an string fae a big rickle o threids an giein it laldie wi bent knittin pins.

'I suppose we'll hae missed tea back hame,' said Kat, a bittie anxious.

'Dinna fash, Kat,' said Doug, sniffin an pyntin his neb at twa approachin figures. 'I think the Fankelites hae thocht o that.'

'Lat me introduce ma guid freens, Mixter an Maxter,' said Snorl.

The twa Fankelites had got themsels tied in knots an, at first, Kat cudna work oot which legs an airms were Mixter's, an which were Maxter's.

'We thocht ye'd like a taste o oor maist famous dish,' said
Maxter, managin somehoo tae unfankle his airms withoot
drappin the plate he wis haudin. 'Raiveletti.'

'But whit wey dae ye eat it?' speired Kat, pokin her finger at
the ricklie tooer o fankelt pasta on the plate.

'Wi a fankle-fork,' said Mixter, haudin oot a fork wi its prongs
aw bent ower themsels an pyntin in different directions.

'I've made ma ain, thanks,' said Doug, as an identical fork
slawly raxed oot fae his mooth.

'I didna ken cyberdugs ate real food,' said Kat, surpreesed.

'I jist analyse it for the recipe,' replied Doug. 'I'm screivin an
Inter-Planetary Cookbuik.'

Efter they'd eaten, Doug went for a dander wi Mixter an Maxter sae he cud tak some holo-videos o Muckle Boorach, an get some mair Fankelite recipes aff them. By noo, it wis stertin tae get daurk.

'Wow,' said Kat, gawkin at the nicht sky. 'This is Planet Bonnie efter aw! Whit're aw thae sterrs?'

'Yon's the edge o oor galaxy, the Tousie Wey,' said Snorl pyntin tae a lang taigelt string o sterrs. 'An owerby is Heeligoleerie, oor wee'est muin.'

'Yer wee'est muin?' speired Kat.

'Ay,' said Snorl, 'Jist turn aroond.'

Ahint Kat were sax mair muins, each brichter an bonnier than the last.

'Seeven muins!' exclaimed Kat. 'We've jist the ae muin at hame.'

'Really?' said Snorl. 'Whit a scunner. Hoo can ye play Lowp-the-Muin, then?'

'Um,' said Kat, luikin dumfoonert, 'we dinna . . . '

'Come on, then,' said Snorl, lowpin tae his feet an trippin ower his shae-laces. 'I'll learn ye.'

Snorl shawed Kat a special place whaur the groond wis ayewis fu o dubs. At nicht, Planet Fankle's seeven muins were reflectit in them aw, makkin a muckle spottit cairpet. Fankelite bairns, said Snorl, challenged ane anither tae 'lowp-the-muin' tae see hoo mony muins they cud lowp ower afore cowpin ower their shae-laces. Snorl wis faur an awa the best (he lowped ower eleeven afore fawin doon on his bahoochie), but Kat did no bad gettin fower on her first shot.

'Doug!' Kat shouted, rinnin up tae meet her cyber-pal on his wey back fae the toun. 'I've a braw new game tae tell ye aw aboot for yer scrapbuik!'

It wis gettin gey late on Planet Fankle. Awbody wis fanklin themsels up in their bedclaes for a guid nicht's sleep. Kat wis stertin tae yawn, an Doug wis snowkin aroond for a guid wormhole tae tak them hame.

'Afore ye gae, Kat,' said Snorl, 'wid ye like tae tak a wee souvenir hame wi ye fae oor planet?'

'Oh ay, please!' said Kat. 'Dae ye hae ony spare fankle-forks . . . ?'

'Foond a guid ane!' yelped Doug, his neb pyntin intae space an his tail gaun its dinger. As afore, Kat cudna see ony sign o a wormhole there at aw.

'But first,' said Doug, 'we need tae defankelise.' Doug extended his Fankeliser again an pit it intae reverse. Kat felt a bittie disappointit as she'd fair enjoyed bein dressed as a Fankelite.

As she stepped intae the wormhole an pit on her wormskates, Kat minded hoo lang she'd been awa fae hame.

'I howp ma maw an dad dinna think I've got lost,' said Kat.

'Dinna fash, Kat,' said Doug, winkin ane o his cyber-een. 'They'll no hae missed ye at aw.'

Whan Kat an Doug unsnecked the holo-door tae Earth, they were strecht back in Kat's gairden.

'. . . tea's ready.' Kat's maw wis jist shoutin fae the back door.

'But, Doug,' said Kat. 'Whaur's aw the sterrs? I thocht it wis past ma bed-time.'

A time-display screen appeared on Doug's richt paw. He shawed it tae Kat. 'Sax o'clock Planet Earth time, Scotland Zone,' he read oot.

* * *

'Whit's for tea?' speired Kat.

'Spaghetti,' replied her dad, plunkin a plate doon on the table afore her.

Kat smiled. 'Braw! I cud dae wi saiconds.'

Her maw an dad luiked at ane anither, but decided no tae ask mair. Kat stertit tae guddle up her pasta intae a ricklie tooer.

'She's been watchin ane o thae cookery programmes,' whispered her maw. 'She's awfie artistic.'

'Dinna yaise that fork, Kat,' said her dad. 'It's been fankelt in the dishwasher.'

'Och, it's fine, Dad,' said Kat. 'I like it this wey.' An withoot sayin ony mair, she wired intae her Raiveletti. Efter she'd feenisht, she luiked at her fankle-fork an smiled. Snorl had inscribed it wi the words, 'A present fae Planet Fankle', an signed it wi three wee taigelt kisses.

a present fae planet fankle

That nicht, as she keeked oot her bedroom windae, the Earth's muin luiked gey shilpit tae Kat. Doug wis busy ilin his Fankeliser an updatin his scrapbuik.

'Doug?' speired Kat, wi a yawn. 'Hoo mony ither wormholes are there in oor gairden?'

Some words fae Planet Fankle

agley

If something is agley, it is squint or oot o shape. An if a plan **gangs** agley, it means it gaes wrang or gaes tae pot. Ye cud say *squeegee* insteid.

boorach

A **boorach** is a group o fowk that are aw confused or makkin an awfie fuss. Ye can cry a muddled heap o something, like claes or stanes, a wee **boorach** an aw.

fankle

If ye fankle something — like a baw o wool, or a phone cord — ye twist it aboot an get it tied in knots. Whan ye're feenisht, ye say the thing is **in a fankle**, or is aw **fankelt**.

guddle

If ye **mak a guddle** o something it means ye mess it up. Ye can say yer room is **in a guddle** if it's awfie untidy.

gyte

If something is **gyte**, it is daft or crazy. If ye tell someone they've **gane gyte**, ye're sayin they are aff their heid.

heeligoleerie

If ye say something gaes **heeligoleerie** ye mean it gaes topsy-turvy or higgledy-piggledy. Ye cud say *tapsalteerie* an aw.

mixter-maxter

A **mixter-maxter** is a confused jumble o things.

raivel

If a threid or bit wool **raivels**, it gets aw twistit an tangled. A **raivel** is a twist or a knot, or sometimes a loose end o threid. If someone is **raivellin**, they are haiverin or talkin mince.

rickle

A **rickle** is an untidy pile o something. Ye micht cry an auld, ramshackle buildin a **rickle o stanes**. If something is **ricklie** it is gey shooglie an unsteady.

snorl

A **snorl** is a knot or a twist. If something is twistit or in knots, ye can say it's **snorly**.

squeegee

If something like yer tie is **aw squeegee**, it is squint or oot o shape. If a plan gaes wrang, ye can say it has **gane squeegee**. Ye cud say *agley* an aw.

taigle

If something like yer hair is in **taigles**, or is **taigelt**, it means there's lots o tangles an knots in it.

tapsalteerie

If something is **tapsalteerie** it means it's aw topsy-turvy an confused. Ye cud say *heeligoleerie* an aw.

tousie

If ye've **tousie** hair, ye're definitely haein a bad hair day! It means yer hair is aw messy an untidy.